KB171783

애정 섞인 혀로 피폐히 중독시키지 않고

애정 어린 혀로 피폐히 중독시키지 않고

발 행 | 2024년 03월 05일
저 자 | 서립
펴낸이 | 한건희
펴낸곳 | 주식회사 부크크
출판사등록 | 2014.07.15.(제2014-16호)
주 소 | 서울특별시 금천구 가산디지털1로 119 SK트윈타워 A동 305호
전 화 | 1670-8316
이메일 | info@bookk.co.kr

ISBN | 979-11-410-7505-7

www.bookk.co.kr

애정 섞인 혀로
피폐히 중독시키지 않고

서립 지음

스무 살의 오독

서른 살의 오독을 풀어내며

스무 살의 오독 中

베스트셀러가 그토록 외쳐댔던 흩날리는 벚꽃 잎도 결국 봄이 왔다 가고 있음을 알리며 투신자살하는 것임을, 아프니까 청춘이라 목에 핏대 세우며 이십 대를 찬양하던 이도 결국 지나간 본인의 청춘을 그리는 것임을, 나는 너무 일찍 깨달아버렸다. 스무 살의 새 출발을 응원한다는 흔한 광고 문구를 나는 이해할 수 없게 되어버렸다.

외설적 담배 연기

섞이는 호흡에서 서로를 탐하는 혀가 떼어지는 순간,
나쁜 어른으로 결국 사랑이라 불러주는 당신을 놓으며
내가 가여워서

선생님. 생활에 불편한 건 뭐든 말하라고 그러셨죠? 저요, 자꾸 거짓말을 해요. 정신병자인 척. 재능이 있는 척. 뭔가 썩은 자국이 가득한 벽 사이에서 자는 척. 아무것도 없는 사람인데 사실은 가질 수 없으니 못 가지는 척을 해요. 살려주세요. 제 거짓말에 제가 깔려 죽을 것 같아요. 네? 이것도 거짓말이냐고요?

문제가 생겼을 때 내가 유일하게 배운 방법은 회피였다. 내가 가까이서 보고 배울 수 있는 사람은 부모님이 유일했다. 부모님은 늘 내게 회피하라 가르쳤다. 지금도 자신 있게 말할 수 있는 습관이 잠수다.

누군가는 내게 내 상처를 드러내며 사람을 곁에 묶어두려는 못된 심보를 갖고 있다고 했다. 그래서 목구멍을 틀어막았다.

그러니까 사랑 없이 어떻게 사는지 참 궁금하다. 뜬금없이 전화를 걸어도 용건을 묻지 않는 수신자. 예고하지 않고 걸려 오는 전화의 발신자. 그들이 누구인지 좀 보고 싶다. 아무나 나를 살려줬으면 좋겠다. 내가 도망치는 곳에 있을 사람. 서 있는 것은 내가 너무 미안하니까 편안히 누워 있을 사람. 그들이 누구인지 좀 보고 싶다.

목적 없는 행위의 실체. 인간 사이에 그것이 존재하기는 하는지. 그게 무엇인지 좀 보고 싶다. 그래, 나는 당신이 보고 싶다.

흰 와이셔츠를 단정히 잘 잠근 남자는 친절 말곤 난생 베풀어 본 적이 없는 사람인 것처럼 굴었다. 답답해서 뛰쳐나온 건물 밖에서 그 남자가 담배를 피우고 있었다. 와이셔츠 단추가 답답하다는 듯 두어 개 풀어헤치고선 급하게 담배를 빨아댔다. 그 연기를 모조리 삼켜버리고 싶었다. 그걸 물고 있는 남자의 입술이 아렸다. 닿을 수 없는 유토피아가 펼쳐진 느낌이었다. 남자는 그런 사람이었다.

집으로 돌아오니 남자에게 메시지 하나가 왔다. 쉽게 끊을 수 있다는 해피 벌룬 같았다. 덥석 입에 물었다. 괜찮다고 생각했다. 때론 외설적이고 직설적인 것이 자해적 위로가 됐으니까.

나를 꿈꾸게 하는 것들은 모두 죽였다. 그러다 남은 것은 나뿐이더라. 내가 나를 꿈꾸게 하고 있었다. 내가 할 수 있는 마지막 일은 나를 죽이는 것이라고 생각했다. 누군가에게 사랑해달라고 죽도록 매달리다가도, 아무에게도 시선에 들고 싶지 않다며 잠수를 타버리기도 했다.

가지고 있던 소설책을 모두 찢어버렸다. 마지막 담배라고 생각하며 피우고 눈물로 비벼 껐다. 내 글이 너무 싫어 모두 지워버리고, 다시 새 삶을 살자며 미친 듯이 무언가를 시작하기도 했다.

내가 원했던 것을 한 번도 가지지 못했던 삶. 쓰고 싶은 문장도 잃어버리고 있는 지금. 깜빡이는 커서만 하염없이 바라보며 버리고 있는 나. 어차피 행복하려고 태어난 것도 아니잖아. 괜찮아. 괜찮아. 이렇게 죽어가다 보면 끝이 보이겠지. 인간은 누구나 그렇듯.

방 안으로 나를 끄는 손이 꽤나 매끄럽고 순조로웠다. 사진에서나 보던 남자의 문신이 눈에 익기도 전에 나를 안았다. 주저 없이 내게 하는 말들이 수정에 수정을 거듭한 리허설을 거쳐 많은 공연을 한 연극 배우 같았다. 이런 건 오랜만이라는 남자의 말도 하나의 대사 같았다. 어쩔 줄 모르겠는 나를 억지로 삼켰다. 나 또한 관객이 아닌 출연진이었으므로. 남자는 진득한 밤 같았으나 밤을 함께 보낼 수는 없는 인물이었다. 시간을 그저 버리던 나에겐 의미 없는 사실이었다.

우리 오늘 처음 봤는데 되게 오래 알고 지낸 사이 같아요.

남자의 말에 그저 웃었다. 남자의 말 한마디 한마디 사이를 아무리 넘나들어 봐도 낯설지 않은 구석이 없었기 때문이다. 낯설었다. 익숙한 것을 그저 버리던 나에겐 의미 없는 사실이었다.

너에게 연락이 올 수 없는 시간임을 알면서도 문자 알람음이 울리면 다급하게 휴대폰을 확인해. 내게 오는 문자는 택배, 스팸, 그리고 당신이니까. 멍청하게 휴대폰을 들었다 놨다 하다 보면 너는 알고 있다는 듯 뜬금없는 문자 한 통을 날리지. 네가 생각 없이 보내는 문자 한 통에 나는 모든 글자를 손가락에 힘을 실어 입력해. 지금 보고 싶어. 그 말에 나는 거울 앞에 앉아 화장을 고쳐.

그러면 너는 다 보인다는 듯 또 문자 한 통을 날리지. 화장하지 마. 어차피 지워질 거. 그럼 내가 어디에 신경을 쓰고 널 보러 가겠어? 답은 하나지. 잠깐. 내가 언제부터 이랬지?

삭막했던 그곳에서 너를 만난 것은 과연 불운이었을까. 너는 그렇게나 내뱉었던 도의를 도끼로 무자비하게 잘라내곤 야생마처럼 내게로 달려들었다. 그런 너를 방관하려 애썼지만 결국 너는 나의 밤을 억압하고 훼손하며 폭력적으로 내 안으로 비집고 들어왔다.

네 말을 들으려 크게 뜬 내 눈알이 사랑스러웠다는 말을 뇌리에 꽂아두고선 태연하게 네 여자와 전화했다. 질투나 원망 같은 것이 섞이지 않은 내 얼굴이 고맙다고 했다. 자신의 사랑에 자조적인 웃음을 덕지덕지 바르던 친구가 생각났다.

그리고 나는 너의 감사를 배반하게 됐다. 나에겐 너와 나의 관계를 만져볼 수 있는 권한은 없었으나 너는 내가 마치 전부인 것처럼 궤변을 늘어놨다. 어디까지 망가질까. 거울 속 내가 낯설게 느껴질 때가 있다. 그것을 마구 내리찍었다. 유리 파편이 이리저리 튀었다. 나는 감히 네가 싫어하는 짓을 해보고자 한다.

나를 꿈꾸게 하는 것은 모두 죽였다. 그러다 남은 것은 나뿐이더라. 내가 나를 꿈꾸게 하고 있었다. 내가 할 수 있는 마지막 일은 나를 죽이는 것이라고 생각했다. 누군가에게 사랑해달라고 죽도록 매달리다가도, 아무의 시선에도 들고 싶지 않다며 잠수를 타버리기도 했다.

가지고 있던 소설책을 모두 찢어버렸다. 이게 마지막 담배라고 생각하며 피우고 눈물로 비벼 껐다. 내 글이 너무 싫어 모두 지워버리고, 다시 새 삶을 살자며 미친 듯이 무언가를 시작하기도 했다.

내가 원했던 것을 한 번도 가지지 못한 삶. 쓰고 싶은 문장도 잃어버리고 있는 지금. 깜빡이는 커서만 하염없이 바라보며 버리고 있는 나. 어차피 행복하려고 태어난 것도 아니잖아. 괜찮아. 괜찮아. 다시는 뭘 바라지 않으면 돼. 이렇게 죽어가다보면 끝이 보이겠지. 인간은 누구나 그렇듯.

알고 있지만 모른 척해야 할 일은 너무나 많고, 어쩔 수 없는 관계도 결국 내가 택해야 하는 것이다. 내 인생에서 내가 선택하지 않은 일이 벌어지는 일은 없다. 모호한 대답도, 대답하지 않는 것도 모두 내가 선택한 것이다.

술을 거나하게 먹은 네가 나를 데려다준다고 한다. 허리에 감은 손은 네 차로 나를 끌고 간다. 결국엔 택시를 타고 귀가할 것을 알면서도 네 손에 내 몸을 맡긴다. 적막이 흐르는 차 안에서 네가 내 턱을 그러쥐고 입을 맞춘다. 감정 섞이지 않은 혀가 나를 마구 휘젓는다. 차 안엔 온통 욕망의 공기로 가득하다.

옷을 걷어 올리는 네 손엔 알코올 냄새뿐이다. 그런 너를 바라보는 내 눈에서도 알코올이 쏟아져 흩어진다. 술이 감정을 집어삼킨 것인지, 감정이 술을 집어삼킨 것인지. 우리는 서로의 감정 따위는 안중에 없다.

네가 그렇고, 내가 그렇지. 뭐.

알고 싶지 않은 너의 한숨을 뒤로 하고 차에서 내린다. 전화해. 네 말에 대답도 않은 채 문을 닫는다. 세 발자국쯤 걸었을 때 너에게서 전화가 걸려 온다. 나는 받지 않는다.

네가 나를 만나면 꼭 하는 것이 있었다. 나를 위에서 내려다보는 일. 너는 내가 눈을 동그랗게 뜨고 너를 바라보는 것이 너무나 사랑스럽다고 했고, 나는 점점 더 무릎을 꿇어야 했다. 눈이 예쁘다는 말은 나를 계속 개처럼 굴게 했다.

마침내 나는 네 앞에 엎드려 너의 가장 아래서 사랑을 했다. 너는 내가 좋다고 말했고, 나는 그 이상의 표현은 없는 줄 알았다. 내가 개인지, 개처럼 구는 인형인지 구별조차 할 수 없을 때까지 왔을 때 너는 입을 열었다.

나 같은 새끼들은 너같이 완벽한 밤은 못 잊겠다.

내 목선을 훑던 손가락이 가슴 사이로 그림을 그렸다. 그리고 두 손 가득 나를 움켜쥐었다. 나도 꼴에 남자라고 너를 놓치기가 싫네. 내 텅 빈 눈동자를 채워줬던 네 목소리는 애석하게도 밤에 짙어졌다. 나는 네게 아무것도 묻지 않았고, 이름밖에 모르는 너에게 나를 줬다.

그 후 종종 너는 내게 바깥세상을 보여주려 했으나 나는 끝끝내 도망치고 말았다.

그렇게 잔인하도록 사랑스럽게 쳐다보지 마세요.
마치 내가 당신의 것이 될 수 있을 것처럼 소중하게
여기지 마세요.
그 눈에 내가 잠식되어 버릴 것 같아요.
내 세상이 당신이란 바다가 될 것 같아요.

참 이상하다.

어느 날엔 쌀 한 톨도 삼킬 수가 없는데, 어느 날엔 먹어도 먹어도 허기가 채워지지 않는다.

네가 내 인생의 마지막 사랑이었으면 좋겠어. 나 없이는 숨도 못 쉴 정도로 나를 원했으면 좋겠어. 잠시라도 내가 손에 닿지 않으면 불안한 마음에 아무것도 할 수 없는 상태가 되는 거야. 끔찍하지? 난 네가 있어야 해. 네가 다른 사람을 사랑하게 돼도 그냥 옆에 있게 해주라. 멈추는 방법을 도무지 모르겠어. 아냐, 그냥 너도 나처럼 나를 사랑해 주면 안 돼?

기대라는 건 참 웃기다. 다른 음성들과 마찬가지로 가볍게 뱉어지고 흩어질 것들인 것을 알면서도 사라진 자리에 서서 그것을 손에 쥐어보려고 애쓴다. 그것이 존재하지 않으리란 것을 알면서도 오늘만큼은 다르지 않을까 눈을 질끈 감게 한다. 그리고 결국엔 똑같이 더러운 가짜라는 것을 몸소 느끼고 열병처럼 앓아눕는다.

너는 이미 지나간 과거인지, 아직 붙잡을 수 있는 현재인지, 내일도 서 있을 미래인지 구분조차 안 돼. 그러니까 그냥 제발 꺼져주라. 나는 내가 예측이 안 되는 사람은 무서워서 얘기도 못 나누겠거든. 그래서 놓친 사람들도 많아. 대개 내가 예측이 되는 사람들은 나빴던 것도 알아. 사람들은 내 인생을 망치는 사람은 나래. 그러니 내 인생이 바로 서려면 나를 죽여야 하는 걸까.

내일 나를 본다면 제일 먼저 그 표정을 보여줘. 내가 제일 좋아하는 네 표정. 넌 내일의 폐막만을 기다리겠지. 그러려고 날 부른 거잖아. 괜찮아. 네가 원하는 사람이 되어줄게. 너도 내가 원하는 대로 굴고 있으니. 너 무슨 색 좋아하더라. 그거 입고 가게.

다시 한번 네가 말 같지도 않은 이유로 인적 드문 공간으로 나를 부른다. 네 손은 내 속을 휘젓고 나는 잔뜩 긴장해 온몸을 조이는 것 말고는 할 수 있는 것이 없다. 네 손에는 지켜야 할 선이 없다. 그리고 나는 너에게 지켜야 할 선이 있다.

완벽하게 엉망진창으로 섞이는 너의 혀에서 나는 애석하게도 충만함을 채우고, 다른 이를 말하는 너의 입술에서 나는 애석하게도 침묵을 배운다.

내가 그랬지. 그 애가 아직도 나를 마음에 품고 있다고. 내 전화 한 통이면 모든 걸 뿌리치고 내게 달려올 거라는 것도 알아. 그래서 난 그 애에게 그 어떤 메시지도 남길 수가 없어. 나의 감정선과 너의 감정의 깊이는 전혀 다른 방향이거든. 내 눈물은 나를 위한 것이지만 그 애에게 내 눈물은 그 애의 존재 이유거든.

아, 기억나? 그 애랑 같이 바다를 보러 갔던 날. 너에게 보고 싶다고 문자 보냈던 거. 그때 너는 아주 쉽게 네 손길이 닿은 사람은 다 널 좋아할 수밖에 없다고 했지. 난 뻔한 사람 하기 싫은데. 난 뻔하다 못해 유치한 사람이 되고 말았어.

울어야 할 것 같은데 어떻게 우는지 모르겠어서 그냥 앉아있었다. 그 사람을 죽일 수 없어 나를 죽였다. 나는 침묵이 어울리는 사람이 아니라 침묵해야만 하는 사람이었다. 그저 내가 기분 좋으려고 어울린단 말 따위로 포장한 것이었다.

사람들은 생각보다 나에게 관심이 없고
사람들은 생각보다 나에 대해 기억한다

그래서? 자세히 말해봐. 듣고 싶어. 당신 말에 말문이 막혀버렸다. 이게 다 당신 때문이야. 내가 탓하자, 당신은 내가 뭘 잘못했냐 물었고, 나는 아니라는 말로 대화를 마무리 짓고 싶었다. 그러자 당신은, 내 탓 해줘. 그거 듣고 싶어서 물어본 거야. 담백하게 말했고, 나는 내가 세상에서 제일 싫어하는 단어인 '그냥'을 섞어 내가 미친 것 같다고 했다.

당신은, 미친 게 아니라 내가 좋은 거야, 나를 달래듯이 비수를 꽂았다. 나는 대답하지 않았다. 30분 뒤에 집 앞으로 갈게요, 잠깐 봐요. 당신의 잇따른 메시지에 한 글자 밖에 보낼 수가 없었다.

좋아해요. 당신 이름만 봐도 심장이 내려앉아요. 당신에게 나는, 당신의 신념대로 줄 세우지 않는 수많은 이들 중 하나겠지만, 나에게 당신은 어지럽게 수많은 이들 중 가장 앞에 서 있어요. 좋아해요. 당신과 한 번만 눈을 마주쳐 보고 싶어요. 좋아해요. 당신에겐 닿지도 않을 말이겠지만.

사방에 벽을 치고 살았다고 생각했는데 나도 모르게 기대하고 있었다. 사랑에 기대한 게 아니라 사람에 기대했다. 스스로 혼자 살아가겠다고, 혹은 마무리하겠다고 생각했지만 '혹시나'라는 단어에 붙잡혀 살았다.

모두들 각자의 인생을 산다. 관여할 생각은 없다. 그들의 인생에 내가 들어갈 생각은 더욱 없다. 문을 열어둔다는 것이, 나를 보여준다는 것이 결국엔 내 인생의 가장 어려운 업무였다. 열쇠도 없는 자물쇠를 걸어두고 누군가 들어오길 바랐다. 더불어 살아가는 사회라는 문구가 유난히 역겨운 날이다.

–

살면서 비참한 일 중 하나는 의도하지 않은 상대방의 행동에 상처받는 것이고, 또 하나는 내가 상대방에게 특별할 줄 알았던 나의 오만이 부끄러워질 때이다.

–

어쩌면 '너의'의 줄임말인 '네'가 '나의'의 줄임말인 '내'의 발음과 똑같은 것은 너를 나만큼 생각하고 있다는 숨은 의미가 있기 때문은 아닐까

–

왜 늘 기다리는 사람이 없을 땐 일찍 도착하는지

–

이것 또한 당신의 이야기 같은지

1

그날은 초록의 바람이 불고 햇빛이 쏟아지는 날이었다. 너는 목 끝까지 단추를 채운 셔츠를 답답해하며 담배를 태우고 있었고 그 연기에선 외설적인 의욕이 가득 서려 있었다. 그걸 모조리 집어삼키고 싶었다. 글쎄, 불어오는 바람과 쏟아지는 햇빛 탓이었을까. 담배를 물고 있는 네 입술이 왜 자꾸만 아렸을까. 닿을 수 없는 유토피아가 펼쳐진 느낌이었다. 너는 그런 사람이었다. 싱그러운 초록을 입은 진득한 소용돌이.

그게 무엇이었든 결국 너는 나를 망쳐버릴 수 있을까. 나를 잔뜩 휘젓고 유유히 사라질 수 있을까. 괜찮다. 때론 외설적이고 직설적인 것이 자해적 위로가 되니까.

2

문장 하나 툭 던져주고 마치 사랑이라도 입에 물려주듯 바람이라는 둥 햇빛이라는 둥 그런 단어를 쓰면서 나를 홀리고 나는 또 거기에 매혹되고 피폐하게 중독되어 활자를 만들어내고 너는 그걸 보며 입꼬리를 올리고 또 하나 툭 던진다 굉장하네 내 생각하면서 썼니 그럼 나는 또 그게 괘씸해서 강하게 긍정해버린다 응 너야 내가 뱉어낸 활자 하나하나가 전부 너야 너의 허벅지 안쪽 어딘가를 한 움큼 베어 물면 내 체액과 네 체액이 온데 뒤섞여 누구의 무엇인지 알 수 없을 때, 점점 희미해지는 무드등이 네 목소리를 더 낮게 만들고, 너를 삼킨 내게 맛있냐고 물어보면 나는 또 네가 좋아하는 만큼 입꼬리를 올리며 고개를 비틀면서 너에게 다가가고, 본능적으로 열리는 네 입술을 모른 체 하며 도파민에 절여져 잔뜩 구겨진 네 미간에 나를 내밀고.

세상을 살아보니 이해가 되는 순간보다 되지 않는 순간이 더 많더라. 그렇기 때문에 변명이 생긴 게 아닐까. 이유는 순간의 앞에 서 있지만, 변명은 순간의 뒤에 서 있으니. 기분이 영 좋지 않다. 세상이 다 거짓말 하는 것 같다. 이러다 진실마저 못 믿게 될까 두렵다.

다정하고 한결같고 친절하고 관용적인 사람은 옆에 앉고, 무정하고 수결같고 단절된 관능적인 사람이 허리를 휘감는다. 중요한 것은 옆에 앉으면 그대로 다른 무언가를 많이 볼 수 있지만, 허리를 휘감고 있으면 다른 무언가를 위해 결국 나를 놔야 한다.

너는 왜 바다를 닮아 마시고 마셔도 목이 마르고, 보고 싶을 때 달려갈 수 없고, 단 한 번이라도 나만의 것이 될 수 없는지

아, 눈앞이 새까매지고 말문이 막힌다는 게 이런 거구나. 자꾸만 네 호흡이 내 귓가를 맴돌고, 눈꺼풀을 내리깔고 나를 바라보며 머리칼을 넘겨주는 네 손길이 여전하고, 여유롭고 나른한 낮은 음성으로 한 글자 한 글자 꼭꼭 씹어 내게 전달하는 네가. 그게 모두 아슬하게 걸쳐진 실크 한 자락처럼 언뜻 완연한 너의 나체를 비추고. 그게 무엇인지도 모르면서 네가 말한 선악과인양 손에 가득 쥐고 입술을 벌리고 있는 내가, 또. 다시.

처음 시작은 네 체취였다. 네가 지나다니는 길목엔 온통 너로 가득 찼다. 모든 감각에 무뎌졌던 내가 네 시선 하나에 온 신경이 묶였다. 사람이 사람을 욕심 낸다는 것이 얼마나 어리석은가에 대해 늘 생각했다. 나는 욕심이 없는 사람이었다. 먹는 것에도, 잠자리에도, 눈을 감는 휴식 시간에도 집착하는 법이 없었다. 그런 내가 온갖 이를 먹었던 네 입술을 훑고 있다. 도망가기엔 너무 늦어버렸다. 나를 네 마음에 묶어둔 것은 너의 시답잖고 가벼운 손길이 아닌, 사랑에 굶주린 내 욕심이었다.

그런 남자 없나. 내 얼굴의 옆선을 손가락으로 훑어내리다 턱을 그러쥐고 나도 모르게 벌어진 입술 틈새로 제 숨결을 집어넣는 이. 외설적으로 뒤섞이는 혀 곳곳엔 담배 맛이 나고, 자꾸만 허리를 쓸어내리는 네 손에선 독한 술처럼 자꾸 들이켜고 싶은 몽롱함이 뱀처럼 춤을 춰. 다급하게 나를 추켜올리는 미치도록 엉망진창으로 섹시한.

진짜 웃기지. 너에게 안겨 있을 때 나를 덮치던 네 향이 아직도 잊혀지질 않아 지독한 향초를 켜. 그동안 수많은 이들이 손을 내밀었어. 피부가 닿는 것도 싫어 뒷걸음치는 내게서 너의 알 수 없는 표정을 떠올리는 나를 봤다. 원래 다 그렇다며. 나도 곧 그러겠지. 도망 가기도 지쳤어. 나를 지키는 일 같은 거 이제 안 할래. 언젠가 내가 그랬지. 네가 나를 망치고 유유히 사라질 수 있을까 하고 말이야

나는 왜 꼭 불행을 예측하고 적중시키고야 마는 걸까.

내내 네 생각을 한다. 너로 하루를 시작해 너로 하루를 끝낸다. 기다리는 것은 지독하다. 쉽게 취해 금세 날아갈 숙취라고 생각했다. 생각해보니 취한 적이 없다. 나도 모르게 쌓아둔 감정들이 나를 덮친다. 뒤늦게 알게 된 관계의 물음표에서 빨간불이 켜진다. 뒤섞이던 혀가 나를 조롱한다. 웃긴 건 그걸 알면서도 내내 네 생각을 한다.

M

네가 없는 곳에서 너는 이미 나의 무언가였다. 그것은 때론 달콤한 연인이었다가, 때론 애달프고 지독한 짝사랑이었다가, 때론 개새끼였다. 불쌍한 건 네가 나의 어떤 것이든 그 '나의'라는 관형어를 굳이 붙이고 싶었던 것뿐이란 사실이었다.

Y

내가 있는 곳에서 나는 벌써 너의 무언가이고 싶었다. 그것은 숨겨야 할 마음이었다가, 남들에게 들키고 싶지 않은 무언가였다가, 너에게 개새끼였다. 애절하게도 그 또한 너는 내 사랑이란 사실이었다.

도대체 왜 자꾸 너만 예외 선상에 두는지. 신념 하난 확고하다고 늘 한소리씩 듣는 내가 왜 자꾸 너에게만 물러지는지. 이러다 물러 터져 다 상해 팔릴 수 없는 과일이 되어 버리는 건 아닌지. 이렇게 뒤엉켜 엉망인 생각들이 왜 네 뒷모습만 봐도 다 사라져 버리는지.

딱히 네게 순수한 사랑을 바란 건 아니었지만 딱히 네게 순수한 목적을 원한 것도 아니었다. 네가 무엇이든 상관없다는 마음은 금세 무엇이든 괜찮다는 사랑으로 바뀌었다. 그 금세 중에 나는 많은 것을 잃었지만 사랑이라 부르기도 뭐한 마음은 또 자라 갈망이 되었다.

네 말 한마디 한마디가 살아가는 이유이자 죽고 싶은 순간이었다.

그 남자와의 낮은 너무도 저급해 밖으로 새어갈까 두려웠다. 남자가 가르친 표정은 세상을 쉽고 귀찮게 살 수 있게 했다. 다른 이들이 남자가 했던 말을 하면 입꼬리가 뒤틀렸다. 꼭 남자가 잘 만든 인형이 된 느낌이었다. 잊을 만하면 닿게 되는 남자의 시선 끝에서 미친 말들이 쏟아지면 나는 또 뱉은 숨만 내뱉을 수밖에 없었다.

아, 내 입꼬리가 어느 방향으로 뒤틀리는지 얘기했던가.

나는 절대로 당신을 추억하지 않을게요. 때때로 행복하고 싶어질 때마다 기억하겠습니다. 서로의 손을 붙들고 거니는 연인이, 서로의 목숨줄을 붙들고 산책하는 사람과 개가, 자신의 앞길을 붙들고 질주하는 위인을 흘겨보는 일이 없도록. 늘 그래왔던 것처럼 방문을 걸어 잠그고 불을 켜지 않을게요. 희미한 불빛도 때론 눈부실 수 있다는 걸 왜 몰랐을까요. 사람은 한결같아야 한다면서요. 하늘이 다시 맑아져요. 커튼을 쳐야겠습니다.

환영받지 못한 존재에게 쓰는 짧은 편지

시간도 아물지 못하게 하는 것들이 있지. 평생을 곪고 썩으며 숨을 죽여야 하는 것들. 나는 이미 다 줘버렸기에 마음이 가난했고, 지켜낼 수 없는 존재는 내가 먼저 놔버려야 했지. 나를 사랑할 줄도 모르는 내가 감히 누구를 품어. 수백 번을 긁은 목숨줄은 질기고 질겨 나를 견뎠지만, 견디고 견뎌 겨우 결국 다시 내가 됐다. 미안해. 다 내 잘못이야. 다시는 무언가를 마음에 담지 않을게. 살려고 발버둥 치지도 않을게.

한순간 가벼이 너를

어쩌면 평생 함께하자는 순수한 희념보다 딱 하루 같이 있고 싶다는 불순한 갈망이 더 간절하게 느껴지는 새벽 5시 44분

언제부턴가 대부분의 긍정적인 밤은 밝다고 표현된다. 밝은 밤. 사랑하는 이의 날숨을 들이켜고 깊숙이 침범하는 실크 한 자락의 시간들이 밝다는 형용사로 밤을 꾸며낸다.

그러나 밤은 어둠이 짙고 두껍게 깔릴수록 아름답다. 모든 것은 본연의 무언가를 내쉬어야 자체로 빛이 난다. 그렇기에 우리는 사랑에 매달린다. 수많은 사랑 노래와 사랑 이야기가 인간의 목을 조이고 더 많은 생명을 불어넣는다. 사랑은 인간의 본성을 죽도록 엉망으로 헤집어 놓는 단 하나니까.

이제 막 시작한 밤하늘을 비행하며 사랑을 엮는다. 마른 세수를 하는 내 손 틈새로 자꾸만 너의 눈동자가 비집고 들어온다. 무슨 색이었는지 기억나지 않는다. 그럴수록 지독하고 집요하게 너를 붙든다.

네 위에서 네 목을 그러쥐면 꼭 그 혀를 내가 다 먹어버릴 수 있을 것 같았어. 내뱉는 숨 하나까지도 아까워 전부 핥으면 그 알 수 없는 도파민에 절여지는 네가 사랑스러웠어. 그게 나 때문이 아니라 그때의 온도와 시간 때문이라는 것을 알면서도 나는 네 앞에서 점점 낮아졌다. 뭐가 됐든 사라지지 마. 그냥 내 옆에 늘 있는 사람처럼 말해줘.

살아달라고 말해줘. 나 같은 사람은 처음이라고 말해줘. 내 허리를 쓸어내리는 손길에서 욕설을 내뱉어줘. 내 온몸 구석구석 맛보며 맛있다고 안달 난 모습을 보여줘. 나도 모르게 내딛는 뒷걸음질에 족쇄를 채워줘. 내 혀를 뽑아낼 듯 탐해줘. 그리고. 터뜨리듯 참을 수가 없을 것 같다 말해줘. 그럼 난 네가 제일 좋아하는 미소를 얼굴에 그릴게. 아니면, 울어줄까?

그 어중간한 밤 사이에 나는 네가 말했다. 가지면 싫증 나고, 못 가지면 안달 나고. 여럿 울리고 여러 번 울었어. 왜 몸에 이로운 건 입에 쓰고, 해로운 건 입에 달까. 난 단 것이라면 기겁을 하는 사람인데도 왜 시럽에 푹 담근 것 같은 불량식품만 찾는 걸까. 네가 알 수 없는 표정을 지었다. 알 수 없다고 말하고 싶었던 걸까.

주변에 사람이 있으면 뭐해. 그 사람들은 내가 누군지도 모르는데. 내 얼굴, 내 이름 그거 두 개 가지고 날 다 알았다고 생각하는데. 실은 그게 아닌데. 그러니까 너도 그 사람들이랑 다를 바 없다면 그냥 나 버려.

네가 나를 가만히 바라보더니 이내 처음 듣는 미지근한 목소리로 말했다. 난 그냥 너를 오랫동안 보고 싶어. 다른 생각은 없어.

나 좋은 사람 아니야.

나도 좋은 사람 아니니까 괜찮아.

아무것도 책임지기 싫어.

내가 알아서 할게.

밤은 유독 짧았고 우리는 우리라고 불릴 수 있을지 한참을 침묵으로 싸웠다.

어렵고 예쁜 단어로 글을 쓰고 싶지 않았다. 나는 직선적이고 모호한 단어로 실존하는 감정을 말하고 싶었다. 혼란스러운 비유, 유추할 수 없는 표현. 그게 다 무슨 소용일까. 그냥 기분이 좋지 않은 날엔 좆같다는 문장 하나로 모든 것을 다 설명할 수 있는데. 구겨진 종이가 차디찬 도로 위를 나뒹구는 것 같단 표현이 대체 무슨 소용일까.

내가 너에게 닿고 싶단 말이 도대체 무슨 소용일까. 내가 울고 싶은데 우는 법을 모르겠단 말이 도대체 얼마나 절실할까. 그럴 때면 비속어가 야속하다. 그것은 좁은 틈으로 탁한 숨을 시원하게 내뱉을 수 있게 한다.

쉽게 약속하는 사람이 싫다. 내가 재차 확인해도 늘 확답을 주는 사람. 그리고 '네가 걱정돼서 그래' 한 마디로 깨져버린 약속의 파편을 다 헤져버린 빗자루로 쓸어버리는 사람. 어쩌면 그 때문에 나는 급작스러운 만남만 갖는지도 모르겠다. '지금 시간 돼?' 같은 약속들. 가볍고 쉬운 것만 찾게 된다.

지금 가진 마음이 단단할 수 있다. 그러나 마음은 형태가 없는 기류 같아 잔뜩 엉켜 무거워졌다가도, 금세 흩어져 존재치 않는 것이 될 수도 있다. 자신의 마음을 자신에게 단단하다고 확언하는 것은 정신 건강상 좋을지 몰라도, 그것을 타인에게 보여주려고 애쓰다 보면 다쳐서 무너지는 타인을 볼 수도 있다.

단단했던 마음이 뱉어낸 지 오래된 담배 연기처럼 사라져 악취만 남기게 될 수도 있다는 것을 우리는 늘 알면서도 모른다. 입에 물고 불을 붙이는 순간엔 도파민이 솟구치니까. 그리고 다 태워버려도 다시 새 담배에 불을 붙이면 되니까.

그러나 마음에 얼마큼의 담배가 들어 있는지는 아무도 모른다.

네 입에서 쏟아져 나오는 말들, 그게 전부 쌓여 너를 만든 것임이 분명하기에 나는 쓴웃음을 지을 수밖에 없다. 처음부터 잘못된 만남인 것을 안다. 내가 떠나면 너는 다른 이를 찾겠지. 그런데도 기약 없는 너의 메시지를 기다리는 나를 보면,

야, 너 내가 얼마나 잘못된 사람인 줄 알고. 왜 자꾸 혀를 집어넣어. 이러면 내가 네 허리를 붙잡을 수밖에 없잖아. 네가 뭐였든 좋아. 감방에 들어갔다 쓰레기장에 처박혔다 온 거여도 상관없어. 이도 저도 안 되면 그냥 날 찔러. 키스 정도는 해도 되지? 입 맞추며 나를 찔러. 네 집에서 기다릴게. 바뀌지 않을 네 집 비밀번호를 치고 들어와. 그럼 내가 있을 거야.

깊이 잠든 너의 등이 곧다. 나를 다 으스러뜨려 모조리 안고 싶다는 너는 눈발이 짙은 새벽 내내 내 살갗만 쓸어내렸다. 내가 뱉어내는 모든 것을 먹을 수 있다는 너는 유독 밝은 밤 내내 내 숨결만 들이켰다. 많이 좋아해. 방 안 가득 메운 네 목소리가 입이 쓰도록 달아 하마터면 나도 좋아한다고 대답할 뻔 했다.

그저 내 시간이 힘들고 무서워 숨쉬는 것이 버겁고 무거워진 것뿐인데 나는 답장 없는 네게 전화를 걸어 잠들었냐며 날카롭게 묻는다. 몸살이 잔뜩 나 병원에 다녀온 네가 애써 잠긴 목을 풀며 미안하다고 사과한다.

나는 못 자고 있는데 잠이 오냐는 잔뜩 망가진 질문을 한다. 너는 일말의 망설임도 없이 지금 갈까, 하고 묻는다. 돌이켜보니 네 몸살은 우리가 함께 보낸 지난밤 내가 열어둔 창문으로 넘어온 거였다. 너는 덜덜 떨면서도 찬 공기에서 자야 하는 나를 지켰다.

나를 사랑하는 너처럼 너를 사랑할 수 없는 내가 너무 싫었다.

안 잘게. 얘기하자. 이게 어느새 잠꼬대가 되어 버린 너는 내가 몇 초간 대답만 안 해도 금세 코를 곤다. 그러다가도 내가 조금만 앓는 소릴 내면 그래서- 라고 말한다. 네 말의 시작은 종종 그래서라는 부사다. 나는 그게 퍽 웃기다.

꿈속의 대지를 헤매면서도 손은 줄곧 나를 만진다. 닿지 않으면 숨을 쉴 수 없을 것처럼 찾는다. 종종 내 입속으로 손을 넣는다. 너는 뜬금없이 내 입 안에 손을 넣는 것이 버릇이 됐다. 내 속을 잔뜩 휘젓는 것이 욕망이 아닌 애정이란 것을 나도 이제 알아버렸다. 큰일이다.

내 불면의 새벽에 잠든 모습을 자꾸 눈에 담고 싶은 것은 네가 처음이다. 그러니 내 불면의 끝에도 네가 있어야겠다.

네 입술을 가득 베어무니 네가 피우는 담배 맛이 났다. 유독 달았다. 그렇게 단 입술로 내가 달아 미치겠다고 했다. 내가 내뱉는 숨이 좋다는 말과 함께 나를 자꾸 들이켜며 아까운 듯 굴었다. 나를 가득 안아 숨이 막히게 먹으면서도 자꾸만 부족하다고만 했다. 너와 나 사이의 산소가 자꾸만 고갈되는 느낌이었다. 숨이 가빴다. 몰아쉬는 호흡에 네가 섞이는 것이 진절머리 나게 좋았다.

과하게 이야기하자면, 사랑하는 것 같아.

그 불확실한 단정의 형용사가 내 심장 소리를 키웠다. 그때 빨리 뛰던 심장이 너와 함께 빨아댔던 니코틴이 아닌 그저 네 존재 때문이었단 것을 혼자 담뱃불을 지지면서야 깨달았다.

나도 참 웃기다. 나도 필요에 의해 존재를 찾으면서 필요에 의해 찾음을 당하고 상처 받는다. 상대의 필요는 불순하고 나의 결핍은 가련하게 느끼는 내가 싫다. 필요의 근거가 무엇인지도 모르면서 그 단어 자체로 불쾌함을 느낀다. 왜 유독 인간 관계에서 필요라는 단어가 이토록 날카로운지 모르겠다.

존재 자체가 중요하다는 말도 결국 존재가 필요하단 뜻인데. 얼마든지 아름다울 수 있는 요소를 나는 찬란하게 무시하고 버린다. 단단히 비중 있는 비련의 조연이 되고 싶은 모양이다. 상처를 기록하며 전시하는 내가 우습고 비참하다.

사랑이 두려운 이유는 한 가지 이유로 시작했다가 수십 가지 이유로 끝내기 때문이다. 시작은 미약하나 끝은 창대하다. 이유는 찰나와 결핍과 충만이 얽히고설켜 예쁘게 젠가처럼 쌓이지 못한다. 대개 그 빌어먹을 이유들은 일상 곳곳에 숨어들어 오랫동안 숨 쉰다.

우리는 사랑에 시작과 끝을 갖다 붙이지만 둘 중 무엇도 스스로 택할 수 있는 것이 없다. 나도 모르는 새에 사랑이 시작되어 나도 알고 싶지 않은 새에 사랑이 끝난다. 내가 나를 마음대로 할 수 없는 것이 사랑이다.

그 있지. 나도 내가 아까워. 그런데도 자꾸만 네게 주는 건 내가 나를 하찮게 여겨서도 아니고, 피부에 닿는 온도에 어리석게 사람을 느껴서도 아니야. 나 진짜 별거 바라는 거 아니고, 나 사랑한다고 한 마디만 해줘. 내가 아니면 죽을 것 같은 그 시선 한 번만 쏟아부어줘.

그러자 너는 아껴주지 못해서 미안하다고 했다. 사랑한다고 했다. 잘 지내라고 했다. 그 자리를 먼저 뜬 것은 나였다. 감히 서 있을 수도, 돌아볼 수도 없었다. 사랑해. 잘 지내. 나는 그 두 문장이 단숨에 뱉어질 수 있는 말인지 몰랐다.

너는 늘 보고 싶다는 말 한마디로 나를 찾았고 나는 그 말의 무게를 가늠해 볼 생각도 않은 채 쉽게 너를 안았다. 세게 안아달라는 너의 한결같은 요구에 안심했다. 이렇게 쉬운 게 사랑이면 결국엔 쉬운 사람을 하기로 했다. 쉬워야만 안아볼 수 있는 사랑이라면 언제까지고 쉽기로 했다.

이 순간에 오래도록 숨쉬고 있고 싶다는 생각을 했다. 영원이란 단어는 떠오르지 않았다. 내가 유일하게 좋아하는 순간마저 그놈의 익숙함이란 이유로 잃게 될까 두려운 마음에서였다. 그런 내가 조금 염세적으로 느껴졌다. 계속해서 똑딱이는 초침으로 이 찰나가 만들어지는 것인데 나는 시계의 춤사위가 왜 이리도 지겨울까. 그러다 초침 소리가 들리지 않으면 불안할 게 뻔한데도.

쉽게 나오는 네 애정 어린 표현은 누구에게나 쓰일 수 있는 것이라 생각했다. 그만큼 가벼이 여겼다. 천천히 어렵게 보여지는 마음만이 진중한 것은 아닌데. 어쩌면 너는 매 순간 누구보다도 네 마음에 충분히 솔직했고 애정을 과감히 드러내며 사랑을 열심히 하는 사람인지도 몰랐다. 그런 너의 지금이 나로 범벅된 것인지도 모른다.

여태까지 살면서 제일 운이 좋았던 일은 너를 만난 것이고 제일 운이 나빴던 일은 너를 만난 거야. 이젠 운이 좋은 날에도 네 생각이 나고 운이 나쁜 날에도 네 생각이 나. 기분이 좋아도 네가 떠오르고 나빠도 떠오르니 미치겠어.

그러니까 이제 제발 나 좀 어떻게 해줘.

B-1

나는 무언가를 좋아할 때마다 사달이 났다. 이제 뭘 좋아하기가 겁이 난다. 순간은 쌓이기 마련이고 쌓이면 무거워진다. 도대체 가벼운 건 어떻게 생겨 먹은 건지 참 궁금하다.

O-1

너는 뜰채 따위도 없이 물고기를 낚으려는 멍청한 인간이었고 나는 인간의 손길이 닿을 리가 없는 깊은 해수어였다.

X-1

어차피 네가 날 가질 것도 아닌데 내가 망가지지 않아야 할 이유가 있을까 표현에 서사가 담기면 진해지는 것 같다. 너랑 나만 아는 이야기, 너는 모르는 내 시간, 나는 모르는 네 습관이 한데 뒤섞이면 아드레날린이 폭발한다.

그러니까, 그게, 어디서 행복할 땐 글이 잘 안 써진단 얘길 들었다. 그게 맞나 보다. 네가 좋은 게 글로 안 써진다. 너를 보는 내 시선을 기록하고 싶은데 자꾸 단순해지고 어려진다. 좋다는 말로 그냥 다 돌려 막고 있다.

그래서 내가 하고 싶은 말이 뭐냐면 너 자꾸 나한테 확실하냐고 물어보는데 난 네가 귀엽다는 거에 의심해 본 적 없어.

야 씨발 좋아해 나 좀 어떻게 해줘 한시도 내 몸에서 손 떼지 말아줘 네가 그렇게 좋아하는 내 혀 마음대로 휘저어줘 만지면 만질수록 내가 닳을 듯이 아까워하면서도 주체 못 하고 껴안아줘 괜찮냐고 물어보지 마 죽여줘 그러면서도 내가 아니면 누구도 못 안을 것 같다고 말 같지도 않은 거짓말을 흘려줘 나쁜 것을 겪으며 마음의 근육을 키울 수 있다는 말에 나는 얼굴을 구겼고, 너는 그런 내게 내성이 생기지 않는 사람인 것 같으니 앞으로 겪지 않게 하겠다고 했다. 나는 그게 어떻게 가능하냐고 허무하게 웃었고, 너는 너라도 내게 그렇게 해야 내가 덜 아프지 않겠냐고 벅차게 웃었다. 아픈 건 숨기지 마. 그날 밤의 마지막 음성은 나를 더 어린아이로 만들고 있다.

우리가 무슨 연인 같은 거라도 돼? 내가 가벼워 보이려 애쓰며 묻자 너는 너무도 쉽게 그렇다고 대답한다. 우리 같은 게 무슨. 나도 쉬운 척 말한다. 너는 늘 무언가가 쉬웠고 그게 나에게만 그런 것인지는 모르나, 다만 내가 쉬이 너를 취하려 할 때마다 뒷걸음질 치는 것에 나는 상처를 받는다. 이럴 거면 내가 밀어냈을 때 다시 연락하지 말지. 그놈의 보고 싶다는 말이 뭔지 네가 그 네 글자만 토해내면 나는 한없이 쉬워진다.

이렇다 할 정의 없이 끝인사를 보고 싶다는 말로 덮어버린 너는 내 입술마저 덮친다. 뽑아가고 싶다는 욕망이 가득한 숨소리로 내 목을 옭아매며 내 혀를 뽑아낸다. 이름 같은 것은 필요 없다고 생각했는데 나는 이다지도 네 옆에 묶여 서 있고 싶은가 보다. 개 같은 나.

언니, 나는 언니가 죽어버린 후로 언니 시간을 내가 쓰고 있다고 생각했어. 그리고 나 사랑하는 사람이 생겼어. 언니가 그랬지? 사랑 같은 건 날 결국 망쳐버릴 거라고. 그럼 언니는 그날 왜 달려왔어? 언니 말대로 내가 언니를 망쳐버린 거네. 내가 언니의 시간으로 그 사람을 사랑해도 될까? 나 같은 게 그 사람 말 한마디에 웃어도 되는 걸까? 이게 언니가 술만 먹으면 말한 성인의 모순이야? 나 다 자란 거야? 나 이제 내가 사는 시간에 내 이름을 달아도 돼? 언니는 피 흘리며 힘겹게 죽어서 겨우 내가 됐네. 결국 내가 됐어.

결국 네가 뱉는 말들은 모두 시럽에 푹 담갔다 뺀 탕후루 같은 것이라고. 먹으려고 깨물면 달콤함이 깨져버리는. 널 먹어 없애버리고 싶어, 차라리. 집착하고 갈망하는 내 손을 잘라버리고 싶어. 너와의 미래를 상상하다 좌절하는 내 모습까지 망상해버리는 나의 조현을 찢어버리고 싶어. 넌 사람이고, 사람은 언젠간 위기가 찾아오고, 지치며, 변하지. 결국엔 또 내가 망쳐버릴 거야. 나를 위한 사랑은 있을 수가 없어.

누군가로 인해 얻은 행복은 그 누군가가 앗아간다는 내 철학이 한순간에 무너지길 바라는 요즘, 행복에도 영원이 존재할 수 있다는 유토피아적인 믿음, 나의 구원이 절대로 나를 놓지 않는다는 확신이 자꾸만 자라는데 그 애는 내게서 새 크레파스 냄새가 난다고 했다. 내가 눈을 깜빡이고 손을 움켜쥐는 것 따위를 마치 생명의 신비를 보듯 바라봤다. 나는 볼 수 없는 나를 자꾸 말하고 알려줬다. 연신 내게 귀엽다는 말을 쏟아부어 그 말이 생소해져 사전을 찾아봤다. 구절 하나하나 곱씹어 봐도 이건 그 애에게 어울리는 말이었다. 진부한 이야기지만 나는 그 애의 눈이 참 좋았다. 내가 가늠할 수 없는 그 애의 시간이 호수를 만들고 있었다. 이따금씩 그곳에 몸을 담그고 싶었다.

나는 네게 언젠가 만만하다고 폭언을 한 적이 있다. 뒤늦게 안 사실은 그게 다 네 배려로 도출된 내 애정의 결과물이었다는 것이다.

엄마, 그 사람은 늘 식지 않는 온탕인데 내 몸은 아물지도 못한 상처뿐이어서 발조차 담그지 못하고 있어요. 그 사람은 언제까지고 기다려준다며 나를 늘 안심시키지만, 그 사람이 잠시 내게서 눈을 돌리면 나는 또 불안에 떨어요. 엄마는 알고 있죠? 내 젓가락질이 서툴다는 것. 다들 내 젓가락질을 보며 귀엽다고 했어요. 그리고 시간이 지나면서 옳지 못한 내 젓가락질에 미간을 구기며 그 나이 먹도록 뭘 배운 거냐며 질타했어요. 엄마, 사랑이란 원래 그런 건가요? 시뻘겋게 타올랐다 형체도 없이 아스라이 흩어지는 것. 찬란하고 애가 타는 나의 마음이 불쏘시개가 되어 그렇게 멀리 날아가 버리는 건가요? 그런 거라면 난 이제 사랑 같은 거 안 할래요.

근데 있잖아요, 엄마. 엄마가 그랬잖아요. 엄마가 아빠한테 반한 모습은, 횡단보도를 건널 때 우물쭈물하며 어려워하시던 할머니 한 분을 모시고 건너편으로 가는 따뜻한 등이었다고. 그래서 엄마, 지금은 행복해요? 딸이 이렇게 병에 짓눌려 살고, 아들이 제멋대로 길을 파헤치는 이 가정에서 엄마는 행복해요? 아빠의 그 따뜻한 등이 여전한가요? 인간이 다른 인간을 어떻게 믿을까요? 누구에게도 물어볼 수 없는 문제라 더욱 두려워요.

사실은 이미 두 발을 모두 그 온탕에 담갔어요. 처음엔 따가웠는데 이젠 괜찮아요. 그래서 물속에 앉아보려고 해요. 엄마, 이거 괜찮은 거 맞죠? 어차피 흉터는 안 지워지잖아요. 이 사람이라면, 이 온도라면, 제 흉터를 가리려고 문신을 결심하지는 않아도 될 것 같아요. 그러면 엄마, 나는 엄마의 아빠 같은 사람을 찾은 건가요?

내게 애정을 쏟아붓는 것이 모자라 거친 비속어를 섞는 네가 그럴싸하게 멋있어 보여 빤히 쳐다봤다. 절대 오지 않을 것 같았던 전화가 울렸다. 나도 모르게 네게 숨기며 전화를 받았다. 그러지 말 걸 그랬나.

얼마 만인지도 모를 네 목소리가 너무나 간절해서. 몇 마디 되지도 않는 네 잔상이 계속 맴돌고 집으로 돌아오는 길목마다 네 그림자가 스친다. 마구 뛰는 내 심장보다 평소랑 달리 반 톤 정도 낮은 네 말투가 더 입술을 깨물게 한다. 나 진짜 너 사랑하는구나.

내 마음엔 방이 여러 개인가. 서로 문을 열고 닫다 서로의 얼굴을 보면 어쩌지. 그렇게 소리소문없이 다 사라져 버리면.

왜 자꾸 나를 더 좋은 사람이 되려고 노력하게 만들어. 왜 자꾸 우울하면 네 앞에서 울어도 될 것처럼 만들어. 왜 자꾸 나를 살고 싶게 해. 왜 자꾸 나를 바꿔놔. 왜 자꾸 처음을 경험하게 해. 왜 자꾸 나를 어려지게 만들어. 왜. 왜. 평생 옆에 있겠다고 해놓고 떠나도 되는데, 그래도 되는데 죽지는 마. 나보다 오래 살아. 그냥 잠깐이라도 나를 살게 해준 사람이 있다고 나 좀 위로하게 나 죽기 전까지는 살아. 근데 있지, 나 좀 가져줘. 옆에 두지 말고 그냥 가져. 근데 있잖아, 계속 나 좀 잘 수 있게 해주라. 그거 너만 할 수 있더라. 근데 떠나도 돼. 가져놓고 버려도 돼. 그냥 나도 누군가를 사랑해도 됐구나, 느끼게만 해줘. 아냐, 가지 마. 다른 사람 만나면서도 나 좀 가져주라. 다른 거 안 바랄게. 그냥, 그냥 옆에 있어 줘.

짝사랑이란 게 얼마나 찌질한지. 보낸 메시지의 수신 확인조차 무서워 들여다보지 못하고 네가 뭐 하고 있는지 감히 궁금해하지도 못하는 내가 너무 비참해서 다 놔버릴까 싶다가도 아무 의미 없는 메시지 한 통에 금세 입이 찢어지는 날 보며 평생 남들에겐 해본 적 없는 욕을 내게 한다.

회귀 回歸

그러니까 사랑 없이 어떻게 사는지 궁금하다.

네 카톡 프로필 배경 사진은 아직도 나와 함께 도망친 날 밤하늘인데 나는 그게 다 아무 의미 없다고 되새기면서도 그놈의 카톡 프로필을 바꾸고 싶으니 여행 가자던 오래된 네 말에 무게를 실었다. 넌 그 여자와 몇 번이고 다시 만났고 내겐 늘 죄책감 때문에 그 여자와 함께 산다며 던진 쓴웃음을 기억한다.

네가 이별을 고할 때마다 손목을 긋던 그 여자를 응급실로 들쳐업고 달려가던 그 마음이 사랑일까 두려운 내가 차마 너에게 내가 죽으려고 하면 어쩔 거냐 묻지도 못한 채 숱한 밤 혼자 있는 방 안에서 내게 없는 너를 죽였다.

오랫동안 우울에 잠식되어 살다 보면 주변 이들까지도 지치게 된다. 아무리 숨기려고 해도 나의 파랑은 너무나 짙어 덮어놓은 가림막 새로 배어 나온다. 그 자국도 점점 짙어져 결국 가리려고 해도 가릴 수 없는 지경까지 온다. 그런 때가 오면 주변 이들은 도망가게 된다. 기분 나쁜 색을 띠고 있으니까. 어떻게 해도 다시 하얗게 새것이 되지 않으니까. 자신이 도움이 되지 않는다는 것을 깨달은 인간은 모든 것을 포기하고 그것을 지친다고 표현한다. 나는 그 표현이 너무나 두렵다. 나를 향해 쏟아지는 눈빛, 내 등 뒤로 터지는 한숨. 나를 더 책망하게 되고 그를 더 미워하게 된다. 이 모든 것은 나로 인한 것인데, 나는 자꾸만 타인에게서 실망을 찾는다.

이렇게 가라앉고만 있었던 것은 아니다. 배워보지 못한 수영을 하기도 하고, 보지도 못한 복식호흡을 하며 과호흡을 가라앉히려고 했다. 그러나 나는 점점 더 심해 속으로 빠져들었고 그곳엔 상상조차 할 수 없던 많은 괴생명체가 살고 있었다. 나를 눈치챌까 두려워 숨조차 죽이며 하루하루를 버티지만 결국 나는 발각되고 수면

위에서보다, 타인에게서 받는 눈치로 짓눌릴 때보다 더 괴로운 나날들을 보낸다. 도대체 무엇을 선택해야 할지 모를 삶이다. 살아간다는 것은 죽어간다는 뜻이기도 하다지만, 매일 칠순잔치와 팔순잔치를 넘어선 잔치의 나날을 보내는 이들이 있는가 하면 자신의 관조차 짜지 못하고 점차 소멸해 버리는 이들도 있다.

결국 우울도 부지런해야 하는 것이다. 넘실대는 파도에 휩쓸려 다니며 심해로 잠식되지 않도록 부지런하게 우울해야 한다. 그 무엇 하나 가만히 앉아 있는다고 해결되는 일은 없다. 그리고 그 해결은 모두 나 자신에게서 비롯된다. 이것을 모두 알고 있음에도 일어설 수조차 없는 내 자신을 나는 오늘 하루 또 모른 척하며, 용서하는 척하며, 위로하는 척하며 죽여간다.

스치는 손끝에 구역질을 느끼던 내가 왜 자꾸만 그날을 떠올리는지. 살려달라고 울면서 죽게 해달라고 빌던 내가 왜 약봉투를 뜯고 있는지. 자꾸만 머리를 들이미는 내일이 무서워 새까만 어둠을 붙잡고 의미 없는 기도를 하던 내가 왜 무언가를 기다리는지. 많은 것이 바뀌어 가고 있다.

그 어느 것에도 애착을 갖지 못했던 나는 그 무엇과도 교감할 수 없을 것이라고 생각했다. 평생 안고 살아가야 하는 병만이 내 곁을 지킬 것이라고 생각했다. 아무것도 시도하고 싶지 않았다. 나를 살리려는 수많은 알약을 쓰레기통에 버리기도 했다. 살고 싶지 않아서. 그런 내가 입원 권리고지서에 사인을 했다. 왜, 왜 또 나는 나를 구원하려고 하는가. 나를 망가뜨린 죽은 시간들을 왜 또 외면하려고 하는가. 벗어날 수 없다고 이미 결론지었는데. 그저 텅 빈 방 안에서 나를 욕하는 소리를 들으며 무릎을 끌어안는 일 말곤 할 수 있는 게 없다고 생각했는데.

정리해야 될 것들이 너무 많다. 다 버리고 묻어두며 떠나는 것이 정답일 것이라 추측한 날들이 자꾸만 생각난다. 다시 숨쉬기 위해 무언가를 해결하려고 든다. 나에게 얽힌 흔적들이 미안하다. 내가 잘할 수 있을지 모르겠다. 가위로 자르듯 모든 것을 버려버리고 싶다. 좀 더 나은 사람이 되고 싶다. 그리고 무섭다. 난 충분히 더러운 사람이니까. 내가, 사람이기는 할까?

내 마음을,
내가 가질 수 있을까?

하루에도 수백 번씩 죽는 일은 허무하다

행복에는 자격이 아닌 순간이 있다는 글을 쓴 적이 있다. 새벽이 지는 동안 그 순간은 어디서 오나 생각했다. 사람이었다. 순간을 함께 하는 타인, 순간을 느끼는 자신. 인간은 인간으로 살아간다. 혼자서도 괜찮다는 문구 역시 나라는 인간이 포함되어있다.

사방에 벽을 치고 살았다고 생각했는데 나도 모르게 기대하고 있었다. 사랑에 기대한 게 아니라 사람에 기대했다. '혹시나'라는 단어에 붙잡혀 살았다. 모두들 각자의 인생을 산다. 문을 열어둔다는 것이, 나를 보여준다는 것이 결국엔 내 인생의 가장 어려운 업무였다. 열쇠도 없는 자물쇠를 걸어두고 누군가가 들어오길 바랐다.

더불어 살아가는 사회라는 문구가 유난히도 역겨운 날이다.

[오후 언제 즈음]

너 행복할 자격 있어, 라는 그 사람의 말에 나도 모르게 나도 그런 글 잘 쓸 수 있다고 했다. 행복에 자격이 어디 있어. 행복은 감정인데, 감정에 자격이 있으면 어떡해. 재밌는 걸 보고 웃는 것처럼 무언가에 행복할 수도 있는 거지. 행복엔 순간이 있는 거지, 자격이 있는 건 아니지.

예전엔 속 빈 강정이 되거나 뻥튀기 당하는 게 부끄럽고 죄책감이 들어 자꾸만 거부했다. 그런데 가만히 생각해 보니 속이 비어도 잡을 수 있는 형체는 존재하는 것이니 어쩌면 그것 자체로 의미를 만들 수 있지 않을까 싶다. 손에 잡히니 붙잡을 수 있지 않을까. 일단 잡아놓고 품고 나서 채워보는 것도 좋지 않을까. 겉만 번지르르한 것부터 시작해서 나를 단단하게 만들거나 부드럽게 채우면 되지 않을까. 이런 쓸데없는 생각을 하며 귀가 중.

일상이 예민해지고 피곤해지는 느낌이 들어 매일을 돌이켜보면 '특히', '유독'과 같은 부사가 앞에 반드시 붙는 사람이 있다.

특히 이렇게 혼자 있는 새벽에 유독 보고싶고, 특히 이렇게 혼자 걸어야 할 길목에 유독 보이는 너처럼.

물론 특히 이럴 때 유독 좆같이 구는 너도 있다.

그런 밤이 있다. 문득 눈을 감았을 때 내일이 두려워지는 밤. 어김없이 올라올 태양이 무서워 어디도 아닌 곳으로 소멸하고 싶은 밤. 생각해 보면 나는 무서운 게 너무나 많았다. 나를 향한 이유 모를 호의. 납득되지 않는 행운. 사람들의 미소. 나는 그런 것들이 견딜 수 없이 무서웠다.

오늘은 칭찬보다 비난을 많이 받은 무대였다. 조금 낮아진 목소리와 평소보다 덜한 아양이 문제였나보다. 그렇다고 죄송하다며 눈물을 흘릴 수도 없었다. 눈물은 얼굴에 치덕치덕 칠한 분장을 망가뜨리니까. 무대가 끝난 뒤 얼굴을 씻어내고 가만히 얼굴을 쳐다보았다. 민낯이 낯설다. 민낯이 흘리는 눈물은 닦아줄 필요가 없다. 그것은 민낯이 가진 유일한 특권이니까. 다른 광대의 삶은 어떨까. 그들은 관중의 박수를 먹고 살까? 나는 관중의 비난 밖에 먹고 살 수 없는데. 나는 아마 단명하겠지.

나는 광대다.
죽는 순간까지 두터운 분장을 하고 눈 감을.

사람은 죽기 직전엔 솔직할 수 있나? 난 유서에도 거짓말을 쓸 것 같다. 뭐 하나 진실한 구석이 없다. 그런데 사람이 진실할 이유가 있나? 솔직한 것과 진실한 건 좀 다른 것 같다. 그러니 자신이 솔직하다는 사람은 내뱉는 문장의 주어 뒤에 늘 강조의 보조사를 붙이지.

문제가 되면 그것'만' 그렇다고 했지, 저것'이' 그렇다곤 안 했다 따위의 진술을 한다. 사람들이 자꾸만 찌질한 진심에 열광하고 지겨운 사실 여부에 집착하는 것은 어쩌면 모두가 그렇게 살고 있어서는 아닌지.

나도 다시 아프면 잘 회복할 수 있을 것 같은데. 약 조금 먹고 주사 한 대만 맞으면 며칠 내로 괜찮아지던 때가 다시 오면 지금보단 나은 사람일 수 있을 것 같은데.

6주 전

거울을 마주하기 힘들 때가 있다. 팔순이 넘은 할머니의 꾸깃한 지폐 한 장을 사랑이란 이름으로 받아들일 수 없을 때. 좋은 회사에 들어갔다던 사촌에겐 주지 않으셨겠지, 생각하는 내가 한심해 감사 표현조차 삼켰다. 나에게 표현이 인색해지니 타인에게 표현하는 방법도 잊어버린다.

음식이 모두 너무 달고 짜 아무것도 먹을 수가 없다는 내게 입맛이 깔깔한 모양이라며 부모님이 말했다. 그게 뭐냐는 우스운 내 질문에 부모님은 어디 아프냐 되물었고 나도 잘 모르겠다며 웃었지만, 부모님은 이전지 길이 웃지 않았다. 타인에게 질문할 수 없는 병에 걸린 나는 나에게도 무엇을 물어볼 수가 없다. 뭘 물어봐야 하는지 도통 모르겠다.

세상에 조건 없고 사족 없는 법칙이 하나 있으면 좋겠다는 생각을 한다. 경험은 시선을 넓히지만 행동을 줄이는 경향이 있다고 느끼는 요즘, 맹목적으로 믿을 수 있는 한 문장이 간절하다. 세상엔 겪지 않아도 될 경험과 얻지 않아도 될 지식이 도사린다. 너무 많은 것을 보고 겪는 우리는 너무 많은 것을 검열하고 갖고 버려야 한다.

그걸 초야에 묻혀 살고 싶다는 생각을, 그곳엔 쿠팡이 되려나 싶은 의문과 함께 가지는 내가 느낀다. 참나.

오래 전 헤어진 애인에게서 전화가 왔다. 잔뜩 술에 절여진 내 이름이 와르르 쏟아졌다. 지금 만나는 사람과 함께 사는 집으로 가는 길에 나에게 전화를 한 것 같았다. 영문 모를 애정이 나를 불렀다. 미안하고 고맙단다. 그럼 잘 살라고 했다. 대뜸 나는 괜찮냐 묻기에 괜찮다고 했다. 왈칵 눈물이 쏟아졌으나 전화는 이미 끊긴 뒤였다.

처음부터 완벽히 엉망진창인 하루가 아직도 끝나지 않았다. 시간은 흐르는데 내일을 만나기가 싫다. 시간은 흐르는데 나는 고여있다.

무엇을 위해 살고 있는 건지 도통 모를 시간들이 흐른다. 깊은 손목 흉터를 본 의사가 아무런 말도 덧붙이지 않고, 신약으로 개발됐다는 수면제를 처방해준다.

벌인 일은 다 끝내놓자는 다짐으로 매달리며 한동안 살았는데, 그것을 끝내기도 전에 일이 더 커져버렸다. 나를 제일 잘 아는 친구는 세상이 나를 말 그대로 억까하는 것 같다고 한다. 웃기다. 사전에도 오르지 않은 그깟 단어 하나로 요 근래의 내 일상이 설명된다.

문장이 다 무슨 소용이고, 내가 다 무슨 소용인가 싶은 새벽이 흩어지고 태양의 정수리가 희끗하게 보인다.

그래도 살아가겠지.

01

내가 네 이야기를 들어주는 것은 너는 그런 사람이구나 하고 인간으로서 존중해주는 것이지, 내가 너를 위해 24시간 열린 귀라는 뜻은 아니다. 내가 너를 존중해준다고 해서 나를 쥐고 흔들 권리를 준다는 뜻도 아니다.

02

나는 너에 대해 꽤 많은 것을 안다. 내가 입을 다물고 있는 것은 네 인생이기에 관여하고 싶지 않기 때문. 그리고 네 주변은 꽤나 넓다. 네 주변이 내 주변이 될 수도 있다. 세상에 영원한 비밀은 없다.

03

사랑 같은 건 바란 적 없다. 다만 내가 준 만큼은 받아야겠다. 그게 싫다면 물꼬를 틀지 말았어야지.

04

보이는 게 다가 아니란 사실을 모르는 이들이 너무 많다. 그리고 대부분의 이들이 추악한 면을 안고 산다. 물론 나 또한.

우는 방법을 몰라 술을 들이붓고 슬픈 영화를 감상했다. '네가 편안히 글을 쓰면 좋겠다'는 말과 함께 선물 받은 좌식 책상 위의 라면 한 그릇과 소주 두 병이 와르르 무너졌다. 만취한 내가 뱉어냈던 토사물 같았다. 조용히 치웠다.

짜증도 나지 않았고, 화도 나지 않았으며, 눈물도 나지 않았다. 나에게 남은 것은 알코올을 잔뜩 머금은 노트북뿐이었으나 어쩐지 내일이 걱정되지 않았다.

지금 피우는 담배가 마지막이라고 결심할 때는 내가 위험하다는 신호다. 그럴 때 급하게 전화기를 집어 들어 '지금 거신 번호는 없는 번호입니다'라는 소리를 들으면 너는 살인자라고 욕하는 환청이 시작된다.

언니는 그게 언제가 됐든 내가 전화를 걸어 아무 말도 못 하면 달려와 바다를 보여줬다. 이제는 혼자서도 바다를 갈 수 있다. 그러나 더 이상 바다는 다음 담배를 꺼내 물게 해줄 수가 없다. 바다에는 온통 언니의 시체가 떠다닌다.

BEHIND

실은 크리스마스를 별로 좋아하지 않아요. 고통스럽습니다. 세상에서 처음이자 마지막으로 사랑했던 사람이 죽고 난 다음날이라. 심사가 뒤틀리는 건지 크리스마스를 축복하는 모든 이들이 다 내 언니의 죽음을 기뻐하는 것 같았어요.

저는 제가 사랑했던 사람을 죽였습니다. 언니의 시간을 제가 살고 있는 것 같아요. 그래서 더 열심히 살고 열심히 죽느라 그동안 애를 많이 썼어요. 그런데 사는 것도 죽는 것도 뭐 하나 녹록지 않네요.

'그래서'나 '그런데' 따위의 접속사는 글을 쓸 때 자제하라던데, 언니의 이야기만 하면 많이 써야 할 것 같은 느낌이 듭니다. 내가 언니를 죽였다는 앞뒤 관계를 명확하게 가슴에 계속 새겨야 하기 때문일까요.

또 하나의 기일이 지나갔습니다. 저는 여전히 살아있습니다. 시간은 흐르는데 저는 고여있습니다. 썩은 물도 언젠가 흔적 없이 증발될 수 있을까요?

기다린다는 것도 실은 행위가 아닌 감정 같다. 이따금 기다리겠다며 그것이 나를 위하는 일인 것처럼 구는 이들이 있다. 기다린다는 것이 그 자리에서 가만히 서 있는 일인 것 같지만 결국 상대에게 제 마음을 계속 쏟아 붓는 일 같다. 그리고 나는 그 마음을 계속 소화 시키지 못한 채 계속 감당하다 체하곤 한다.

인생은 반복과 번복의 굴레다. 그리고 회귀의 연속. 그러니 과거로 돌아가 새로 꾸리는 인생 스토리가 흥하는 게 아닐까. 우리에게 현실적인 회기란 시간적 회기가 아닌 상황적 회기뿐이니.

같은 실수를 반복하고 그것을 만회하기 위해 번복하며 최악의 상황에 회기하는 우리는 그 속에서 무언가 극복을 해야 성장이란 이름을 붙이는 것 같다. 세 단어 밖으로 도망치기 위해.

ㄴ'회귀'를 '회기'로 오타를 낸 것은 운명일까.

귀갓길이 너무 길어 집 앞 계단에 마냥 앉았다. 친구가 때 마침 첫 가족 사진을 찍었다며 카톡을 보내왔다. 친구의 배가 예쁘게 불러있다. 별안간 눈물이 터졌다. 할머니 한 분이 재활용 분리수거를 마치고 가시던 중 내 옆에 앉으셨다. 꺼내려던 담배를 급하게 집어넣었다.

괜찮다며 당신도 하나 달라시기에 건네드렸다. 예쁜 사람은 어떻게 하고 있어도 예뻐요. 그래서 이렇게 울어도 왜 저럴까 생각하기보단 그래도 예쁘다 생각하지. 남들이 몰라주는 건 아가씨가 다 예뻐서 그래.

그분은 내가 건네드린 담배를 소중한 것인 양손에 쥐고 계셨다. 날이 풀렸다지만 따뜻하게 입고 다녀요. 몸이 따뜻해야 마음도 따뜻해지거든. 감사하다고 콩알만 하게 내가 말하자 시간 써줘서 고맙다고 하시며 자리를 뜨셨다.

피부가 닿지 않았는데도 온기가 느껴졌다.

구체적인 행동을 문장으로 만들어 나열하며 이런 사람이 좋은 사람이고, 저런 사람이 나쁜 사람이라고 설명하는 글을 종종 읽는다. 나는 때론 좋은 사람이고 때론 나쁜 사람이었다. 사람들은 그런 글을 읽으며 지난 연애를 돌이켜보는 듯했다. 시간이라는 것은 참 웃겨서 좋은 것을 크게 부풀려서 애틋하게 만들고 나쁜 것을 깊게 부풀려서 우울하게 만든다.

한결같은 사람이 좋은 사람이라 여겼던 때가 있었다. 그러나 나도 어제의 나와 같지 않았다. 다이어트 결심에 작심삼일을 붙이는 것은 대표적인 유머 코드이고, 사랑 결심에 작심삼일을 붙이는 것은 대표적인 조롱거리이다. 세상을 바라보는 잣대는 여럿이면서 왜 사람을 바라보는 잣대는 하나만 세우려고 하는가.

그래. 사실 내가 남들이 말하는 좋은 사람의 부류가 아니라 열등감에 절어 있는 것이다. 남들이 보기에 좋은 사랑을 할 수 없어서 발악하는 것이고. 좋은 건 좋은 거니까. 결국 궁극적인 하나를 뜻하는 것이기도 하겠지. 내가 또 틀린 거겠지.

타인의 성공보다는 실패에서 나의 더딘 성장을 느낀다. 아무것도 하지 않으면 실패할 수 없다. 그들이 진심을 다해 무겁게 남긴 발자국을 존경한다. 나는 러닝 머신 위에서 산다. 아무리 걸어도 뒤를 돌아보면 발자국 하나 남지 않는다. 내 세상엔 해가 뜨지도 지지도 않는다. 벽을 깨야 탈출할 수 있다.

삶의 조언에도 트렌드가 있음을 느낀다. 언제는 치열하게 살고 목표를 이루라고 했으면서 언제는 그냥 살고 틈틈이 행복이나 하란다. 매분 매초가 빽빽해졌기 때문일까. 한 자리 숫자 안에 들어야 성공이라 칭해주는 기준 높아진 세상 때문일까.

세상은 숨 쉴 틈 없이 좁아지고 존재는 자꾸만 넓어진다. 윤리적 잣대는 두터워지지만, 범죄는 종류가 다양해진다. 인과관계가 소용없는 사회를 사는 느낌이다. 각자의 존엄만으로 범죄하고 단죄한다.

결핍과 중독, 오늘의 키워드였다. 내 안에는 또 다른 내가 살았고 그 아이는 두터운 외투를 입고 땅에 발을 딛고 있지 않는다. 차라리 알코올이나 니코틴 중독 같은 거였다면 이렇게 비참하지 않았을 텐데. 평생 받지도 주지도 못한 것이 결핍되고 아무런 감정이 오가지 않는 것에 중독이 됐다니. 느낄 수 있는 감정이 하나씩 줄어든다. 끝내 아무것도 없는 허공에 닿겠지. 그리고 추락하겠지.

사람은 종종 상처받았다는 이유 하나만으로 관계에서 우위를 독점하려고 한다. 그런 피해의식은 모두의 시야를 좁게 만들기도 한다.

사람들은 뱉으면 그만인데
나는 그 잔상이 너무 오래 남아 견딜 수가 없다.

잘못된 길인 걸 알면서도 멈출 수 없는 걸음은 늘 더러운 발자국을 남기기 마련이다. 그 발자국에선 항상 악취가 난다.

그런 거 있잖아. 내가 망가지는 모습을 지켜보는 것에 희열이 올라오는 그런 거. 이렇게 하면 내가 한없이 뒤틀릴 걸 알면서도 같은 행동을 반복하고, 비슷한 계열의 다른 행동을 시작하고. 나한테 원하는 게 있어서 애쓰는 사람들의 모습을 보면서 재밌어하고 장단 맞춰주고. 몸이 고장 나고 있다는 걸 알면서도 알코올과 니코틴을 들이붓고. 진실 같은 말은 절대 내뱉지 않고 오로지 내가 아닌 것들만 보여주고. 괜찮아. 살고 싶은 대로 살기로 했잖아. 바르고 똑똑하게 살고 싶었던 적 없었으니까 괜찮아. 진짜 괜찮아. '행동'을 '행복'으로 오타를 내놓고 기겁을 하며 지우기는 해도, 그건 아무도 모르니까 괜찮아.

아무도 나를 몰랐으면 좋겠어요. 도망가고 싶어요. 그런데 어디로 도망가고 싶은지조차 모르겠어요. 하루에도 수백 번씩 제 목을 매달아요.

너의 미안해는 내려야 할 정거장을 지나쳐 버렸어. 너 잘못 내린 거야. 네가 아무리 그곳에서 미안하다고 외쳐도 이제 나한텐 안 들려. 네 인생이 미안하다고? 아니, 나는 네 엉망진창인 일분일초를 고치려는 생각조차 안 하고 네 일부라 생각하며 그것마저 안아주려고 했어. 아, 근데 착각하지 마. 나 원래 그런 사람이래. 그냥 태어날 때부터 멍청하도록 착하게 태어난 거야. 사랑으로 오해하게 해서 미안해.

근데도 이 멍청한 내 기질이 오열하며 잘못된 인생으로 날 떠나보낸 너 자신을 자책하는 모습을 보면서 난 또 네가 죽어버릴까봐 걱정하게 하더라. 원래 사람들 모두 나처럼 자살이 쉽니? 다 허망하게 죽어? 근데 씨발 나는 왜 이렇게 죽는 게 어렵냐. 넌 좋겠다. 뱉어놓고 끊어버리면 끝이니까. 너 또 그렇게 술 퍼마시고 울고 잘못 내린 정거장에서 주저앉아 나를 찾다가 아무렇지도 않게 오늘 아침 출근했겠지.

네가 어떻게 살든 상관없는데, 어떻게 망가지는지 알고 싶지도 않은데 죽을 거면 제발 소리 없이 죽어라. 더 이상 타인의 죽음에 죄책감 가지며 나에게 별 애정 없는 사람의 안위를 벌벌 떨면서 생각하기엔 난 너무 지쳤거든. 넌 내가 잃어버린 소중한 사람의 이름을 부르는 것도 싫어했지? 네가 싫어하는 사람의 이름과 똑같다는 이유로. 이기적인 새끼. 넌 끝까지 이기적으로 나를 사랑하는구나.

내게 자살 포기 각서가 내밀어졌다. 나는 서명하지 못했다. 종이 한 장에 사인 하나 휘갈기는 것이 뭐 그리 어려운 일이냐고 생각할 수 있겠지만 내게 그것은 좀 더 무거운 문제였다. 내가 다시 삶을 마감할 준비를 할 때 하나라도 더 마음에 걸리는 것을 만들고 싶지 않았다. 떠나는 발걸음마저 무게를 두고 싶지 않았다. 그러나 다음 주에 나는 그 종이에 내 이름을 쓰게 되겠지.

내게 자살이란 늘 숨기고 철저히 공부하며 한 번에 성공해야 하는 어려운 과제 같은 것이었는데 누군가에겐 그것이 무기가 될 수도 있다는 사실을 깨달았다. 또 누군가에겐 마지막 희망일 수도 있고 다른 누군가에겐 용기의 근원이 될 수도 있을 거라는 생각을 했다. 사는 것만큼이나 죽는 것도 어렵다. 죽는 것만큼이나 사는 것도 어렵다. 인생은 늘 그렇다. 막상 닥치고 보면 해결할 수 없는 일 투성이다.

도움을 청할 누군가를 써야 하는 공란에 나는 누구의 이름을 써야 할까.

해 뜨기 직전이 가장 어둡다면서요. 그렇게 기어코 뜬 그 해는 다시 저녁이 되면 지잖아요. 그럼 매일 이런 칠흑 같은 어둠을 견뎌야 하나요?

사랑하는 법을 잃어버렸다. 타인의 손끝이 스치기만 해도 뱃속 깊은 곳에서부터 혐오감이 끓어오른다. 늘 지켜주고 싶었던 나의 반려견에게서 짜증을 느낀다. 살아있는 것은 모두 끔찍하다. 창틀에 가만히 앉아있는 작은 선인장도 쳐다보기가 싫다. 사는 것이 숙제처럼 느껴진다.

죽어버린 마음은 그 시체를 옮길 수 없고 계속 해서 그 자리에 남아 서서히 썩으며 형용할 수 없는 악취를 풍긴다. 할 수 있었던 일들이 나에게 작별 인사를 고하며 멀어져 가고 아직도 지나간 시간 속에서 잡히지 않는 신기루 같은 과거를 손으로 움켜쥐려 애쓰는 나는 속절없이 흘러가는 시간이 야속해 울기만 할 뿐이다. 살려달라고 소리를 질러도 나를 구할 수 있는 건 오로지 나뿐이라는 매몰찬 대답만 돌아온다. 나는 이미 존재하지 않는데. 자꾸만 덮쳐오는 우울의 파도에 휩쓸려 수백 번이고 쓸려 내려갔는데. 나를 구하기 위해선 나를 찾아야 한다. 살아가기 위해서 해야 할 일들이 너무나 많다.

한없이 무너지는 때가 오면 무작정 바다로 향하는 버릇이 있습니다. 차가운 모래사장 위에 무릎을 꼭 껴안고 앉아 하염없이 밀려드는 파도를 바라보며 저 유속으로 내가 휘말려 들어가길 늘 바랐었습니다. 언니는 그걸 아는지 모르는지 내 입꼬리가 처지기만 하면 나를 그 파도 앞에 앉혔습니다. 그것 말곤 할 수 있는 일이 없었을 언니의 절박함이 나는 어쩐지 늘 야속했습니다. 나의 파랑은 내 주변을 병들게 했습니다.

혀는 내 스무 살을 열고, 곧 나를 점령하려 들었다. 벗어나려고 몸부림치면 칠수록 그 냄새, 냄새가 지독해 나 자신을 숨기려고 애를 쓰게 만들었다. 혀의 굴레에서 도무지 벗어날 재간이 없었다. 혀는 지독했던 나의 지난 시간들을 짓밟고 스무 살로 성장하게 했지만, 동시에 그 죽은 시간들을 나의 발목에 묶어 속박했다. 내 스무 살이 빳빳한 새 것이 될 수 없는 첫 번째 이유였다. 나는 과거를 통해 성장한 것이 아니다. 과거를 짓밟고 우뚝 선 것이다. 타인의 스무 살은 성장의 흔적이지만, 나의 스무 살은 고통의 산물이자 결실이었다. 거기서부터 벌써 나의 스무 살은 결코 설렐 수 없는 것임에 틀림없었다.

죽은 시간은 곧 나의 일부가 되었다. 체내로 흡수되어 구석진 곳 어딘가에 암 덩어리처럼 얄밉게 자리 잡아 숨 쉬고 있다. 반짝이며 날리는 꽃잎도, 청춘이기에 할퀴어진 상처도 결국엔 흩어지고 옅어져 없어지고 훗날 소주 한 잔의 안주거리가 되겠지만, 내 스무 살이었던 혀는 다르다. 그것은 이미 해체되고 분열되어 죽은 시간 속에 함께 잠들어 나의 일부가 되었으므로 평생을

지고 가야 할, 제거되지 못하는 암세포 같은 것이다. 감히 그것이 어린 날의 상처라고 쉬이 말할 수도 없다. 그것은 그것 자체로 이미 나 자신이기 때문이다. 나의 스무 살은 이미 오래전부터 시작되었고, 어쩌면 또 다른 혀를 만나 또 한 번의 스무 살을 겪게 될지도 모른다. 스무 살은 미숙한 것이 아니다. 미숙하기 때문에 실수의 냄새가 진득이 나는 선택의 범벅으로 뒤덮인, 삶 그 자체이다. 과정이 아닌 그 자체.

나는 직선적이고 파괴적인 모호한 단어로 너를 말하고 싶었다. 가끔은 내 모든 것이 담긴 진득한 문장 하나로 네가 나를 오래도록 생각하게 하고 싶었다. 그러나 나는 아직도 네가 모자라 네 이름을 부르며 희미한 네 그림자를 향해 손을 뻗는 일 말고는 아무것도 할 수 없었다.

아픔의 형용사에는 도대체 몇 가지가 있을까. 세상의 많은 말들이 아프다는 뜻을 대신 하고 있는데 나는 그 중 어떤 단어를 골라도 만족스럽지가 않다. 가끔은 만족하기 싫은 건가 싶을 때가 있다. 살아지는 시간도 살아내는 시간도 가끔 무섭기만 할 때가 있다.

안녕이라는 말은 같은 글자로 시작을 열고 끝을 닫을 수 있더라고요. 그때 우리가 서로 인사를 나누지 않았으면 어땠을까요. 그리고 지금 우리가 서로 인사를 나누면 어떨까요. 단단치 못한 땅 위엔 아무것도 자랄 수 없는 자연의 이치를 늘 깨달으면서도 잊어요. 나는 가난해서 좇고 싶은 것들이 많았어요. 가난한 주제에 욕심이 많아 나를 망치고 많은 것을 망치고 있습니다.

진짜 우울은 아침에 생긴다고 해요. 나는 가끔 알 수 없는 세상의 말들에 반박하고 싶어 입을 다뭅니다. 사람은 깨달을 때 마감할 수 있는 것 같아요. 불확실한 어미로 말을 마무리하는 것을 좋아하지 않지만 내 인생에 어디 확실한 게 있었던가요.

인사조차 마침표를 찍지 못하는데.

모든 감정은 누구에게나 환영받아야 합니다.

서른 살의 오독을 풀어내며

나는 성장했습니다. 술을 마시며 맛있다고 할 줄 알게 되었고, 어린 사랑에게 귀엽다고 말할 수 있게 되었습니다. 우울은 여전히 나를 잡아먹을 듯 공중그네를 타지만 어쩐지 나는 그 우울조차 가엽습니다.

나는 앞으로도 나이를 먹을 겁니다. 나은 사람이 되길 바라진 않습니다. 온전한 사랑도 바라지 않습니다. 나는 이렇게 뿌연 연기 속에서 흐린 시야로 세상을 바라볼 겁니다. 그런 세상도 제법 살아갈 만하더라고요.

세상은 점점 좁아지나 인간은 점점 커집니다.
우리 충분히 지치며 살아요. 떼를 쓰고 악을 쓰며 엉망진창으로 사랑하고 호흡해요. 그러다 보면 쉬이 내어지는 숨에 눈이 동그래질 때가 올 겁니다.

종종 행복하세요.

2024년의 봄이 시작할 무렵

가장 어두운 곳에서

서립